宾果找骨头

【美】露西·瑞切·潘纳◎著
【美】林·亚当斯◎绘
范晓星◎译

天津出版传媒集团
新蕾出版社

图书在版编目 (CIP) 数据

宾果找骨头/(美)潘纳(Penner,L.R.)著;(美)亚当斯(Adams,L.)绘;范晓星译.
—天津:新蕾出版社,2014.1(2024.12 重印)
(数学帮帮忙·互动版)
书名原文:Where's That Bone?
ISBN 978-7-5307-5899-1
Ⅰ.①宾…
Ⅱ.①潘…②亚…③范…
Ⅲ.①数学–儿童读物
Ⅳ.①01–49
中国版本图书馆 CIP 数据核字(2013)第 270453 号
Where's That Bone? by Lucille Recht Penner;
Illustrated by Lynn Adams.
Copyright © 2000 by Kane Press, Inc.
All rights reserved, including the right of reproduction in whole or in part in any form. This edition published by arrangement with Kane Press, Inc. New York, NY, represented by Lerner Publishing Group through The ChoiceMaker Korea Co. Agency.
Simplified Chinese translation copyright © 2014 by New Buds Publishing House (Tianjin) Limited Company
ALL RIGHTS RESERVED
本书中文简体版专有出版权经由中华版权代理中心授予新蕾出版社(天津)有限公司。未经许可,不得以任何方式复制或抄袭本书的任何部分。
津图登字:02-2012-237

出版发行:天津出版传媒集团
新蕾出版社
http://www.newbuds.com.cn
地　　址:天津市和平区西康路 35 号(300051)
出 版 人:马玉秀
电　　话:总编办(022)23332422
发行部(022)23332679　23332351
传　　真:(022)23332422
经　　销:全国新华书店
印　　刷:天津新华印务有限公司
开　　本:787mm×1092mm　1/16
印　　张:3
版　　次:2014 年 1 月第 1 版　2024 年 12 月第 24 次印刷
定　　价:12.00 元

著作权所有,请勿擅用本书制作各类出版物,违者必究。
如发现印、装质量问题,影响阅读,请与本社发行部联系调换。
地址:天津市和平区西康路 35 号
电话:(022)23332351　邮编:300051

无处不在的数学

资深编辑　卢　江

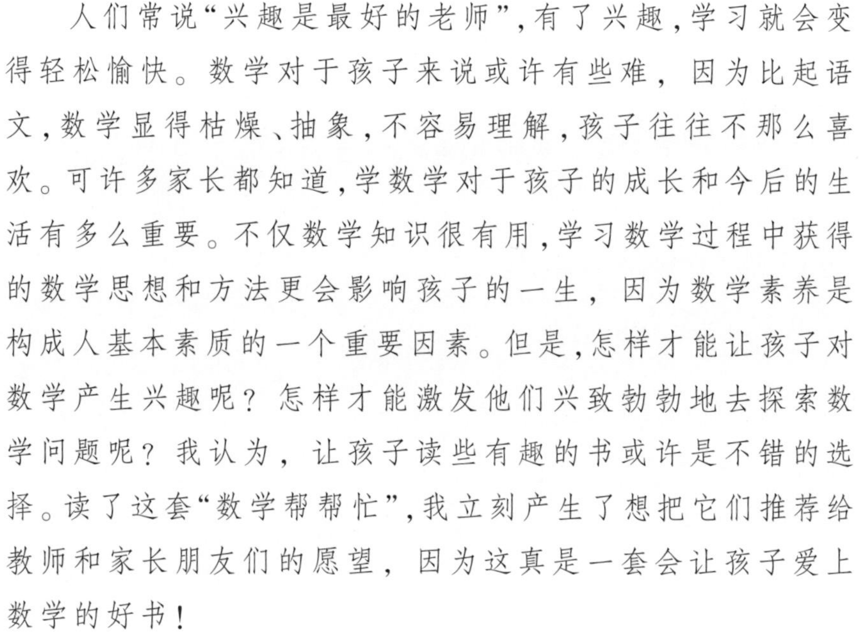

人们常说“兴趣是最好的老师”，有了兴趣，学习就会变得轻松愉快。数学对于孩子来说或许有些难，因为比起语文，数学显得枯燥、抽象，不容易理解，孩子往往不那么喜欢。可许多家长都知道，学数学对于孩子的成长和今后的生活有多么重要。不仅数学知识很有用，学习数学过程中获得的数学思想和方法更会影响孩子的一生，因为数学素养是构成人基本素质的一个重要因素。但是，怎样才能让孩子对数学产生兴趣呢？怎样才能激发他们兴致勃勃地去探索数学问题呢？我认为，让孩子读些有趣的书或许是不错的选择。读了这套“数学帮帮忙”，我立刻产生了想把它们推荐给教师和家长朋友们的愿望，因为这真是一套会让孩子爱上数学的好书！

这套有趣的图书从美国引进，原出版者是美国资深教育专家。每本书讲述一个孩子们生活中的故事，由故事中出现的问题自然地引入一个数学知识，然后通过运用数学知识解决问题。比如，从帮助外婆整理散落的纽扣引出分类，从为小狗记录藏骨头的地点引出空间方位等等。故事素材全部来源于孩子们的真实生活，不是童话，不是幻想，而是鲜活的生活实例。正是这些发生在孩子身边的故事，让孩子们懂得，数学无处不在并且非常有用；这些鲜活的实例也使得抽象的概念更易于理解，更容易激发孩子学习数学的兴趣，让他们逐渐爱上数学。这样的教育思想和方法与我国近年来提倡的数学教育理念是十分吻合的！

这是一套适合 5~8 岁孩子阅读的书，书中的有趣情节和生动的插画可以将抽象的数学问题直观化、形象化，为孩子的思维活动提供具体形象的支持。如果亲子共读的话，家长可以带领孩子推测情节的发展，探讨解决难题的办法，让孩子在愉悦的氛围中学到知识和方法。

值得教师和家长朋友们注意的是，在每本书的后面，出版者还加入了“互动课堂”及“互动练习”，一方面通过一些精心设计的活动让孩子巩固新学到的数学知识，进一步体会知识的含义和实际应用；另一方面帮助家长指导孩子阅读，体会故事中数学之外的道理，逐步提升孩子的阅读理解能力。

我相信孩子读过这套书后一定会明白，原来，数学不是烦恼，不是包袱，数学真能帮大忙！

“宾果！我们走吧！”吉尔每天早上都会这样说。她和小狗宾果每天都要围着家门口的这条街散步。回到家，吉尔总会给宾果一根骨头。宾果最喜欢啃骨头。

有一天，吉尔的姨妈莎丽来做客，她带来了自己的宠物猫绿巨人。

宾果一见到绿巨人就发怵。

绿巨人会跳到宾果身上，

抢宾果的东西吃，

甚至还把宾果的
玩具据为己有。

唯一值得庆幸的是，绿巨人很喜欢睡觉。每天下午，它都会睡个长长的午觉。

绿巨人到吉尔家的第二天，宾果就不吃它的骨头了，而是把骨头埋到了院子里。吉尔透过窗户看得清清楚楚。

“它为什么这样做呢？”吉尔问妈妈。

“宾果想把宝贝骨头藏起来，不想让绿巨人抢走。”妈妈告诉她。

“别担心。”吉尔对宾果说，“猫才不爱吃骨头呢。”宾果叹了口气，趴在地上一副忧心忡忡的样子。

没过多久，绿巨人睡下午觉去了。“去把你的骨头挖出来吧！”吉尔说，“绿巨人在睡觉，你可以吃啦。”

宾果这儿挖挖，那儿找找，可它怎么也想不起来骨头埋在什么地方了。

第二天也是如此。第三天还是这样。宾果总是先把骨头埋起来，然后就再也找不着了。

宾果总是丢骨头。吉尔该怎么帮它呀?

她左思右想,终于想到了一个好办法。她画了一张大大的后院地图。

还有一次，吉尔和宾果散完步，来到后院，吉尔爬上了树屋。

“妈妈！”她大声叫道，“你给宾果拿一根骨头来好吗？”

“好的！”妈妈回答。

吉尔观察着宾果的一举一动。它叼着骨头，绕过鸟食器，东张张西望望。

最后，它把骨头埋在开粉色花的树丛前面。
吉尔在地图上把这个位置标了出来。

转天，宾果又得到一根骨头。它在乌龟池塘周围转来转去，左边嗅嗅，右边闻闻。然后又绕着苹果树转了一圈，最后把骨头埋在苹果树和一块石头之间。

吉尔在地图上苹果树的右边画上了“×”作为记号。

突然，吉尔被吓了一大跳。原来是绿巨人蹿上了树屋。吉尔知道，猫不会看地图，可她还是不由自主地挡住了地图，以防万一。

真巧，莎丽姨妈喊绿巨人下来吃东西：“小绿绿！该吃小点心啦！”

“谢天谢地！”吉尔自言自语道，这时绿巨人蹿下了树。

还有一天，宾果在门廊前面挖了一个坑，想把它新得到的骨头放进去。可当它看见绿巨人后，又叼着骨头跑走了。

宾果跑过小桥，来到花园。哎呀，不过没关系。宾果埋骨头的时候，只弄断了一枝花。

宾果叼着骨头跑遍了整个院子。突然，它冲向秋千架，往左一拐，在吉尔坐的树屋下埋起了骨头。

吉尔给宾果看她的地图。她把每个埋骨头的地方都用“×”做了记号。等姨妈和绿巨人走后，吉尔和宾果就能很容易找到这些骨头了。只是不知道姨妈和绿巨人什么时候走啊！

终于，莎丽姨妈准备回家了。“再见！”吉尔喊。宾果可劲儿地摇着尾巴。

“再见！”莎丽姨妈说。

“喵呜！”绿巨人叫道。

转天，吉尔带着宾果去散了很长时间步，开心极了。当吉尔带着宾果回到家，宾果想吃骨头。吉尔看出来了。她拿出地图:“咱们去找块骨头吧！”

耶！太棒了！吉尔和宾果按照吉尔地图上的记号，找到了一根骨头，就在苹果树的下面。

这幅地图太管用了！每天吉尔和宾果都能找到一根骨头。可是最后一根骨头却怎么也找不到，那个坑里什么都没有。

宾果环顾四周。吉尔知道，它一定是以为绿巨人把骨头偷走了。可是吉尔很肯定，猫才不喜欢吃骨头呢。还是，猫也喜欢呢？

过了一个星期，吉尔收到一封莎丽姨妈寄来的信，信里还夹着一张绿巨人的照片。你们猜，绿巨人爪子里抓着什么？

宾果的骨头！

“还真让你猜着了，宾果。”吉尔说，“看来猫还真的喜欢骨头呢。你觉得它们也会看地图吗？”

亲爱的吉尔：
真是对不起。
请你转告宾果，明
年我再带绿巨人去
你家时，一定送它
一根新骨头！

位 置

在每幅图中，宾果都在跟绿巨人捉迷藏。请小朋友描述一下宾果在哪里？

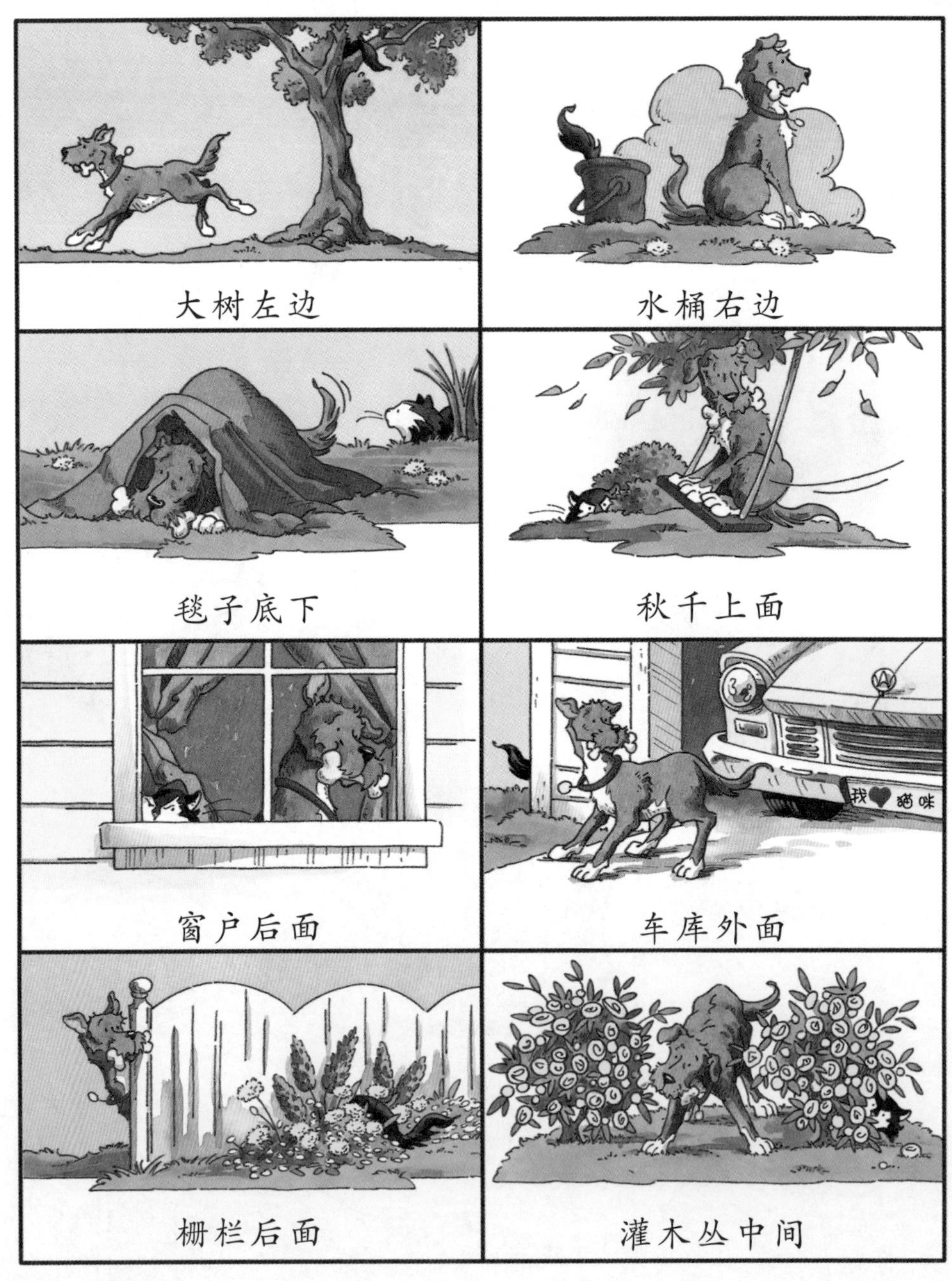

亲爱的家长朋友，请您和孩子一起完成下面这些内容，会有更大的收获哟！

提升阅读能力

• 阅读封面，包括书名等内容。这可能是个什么故事？如果孩子养狗，或者生活的环境中有人养狗，和孩子一起聊聊狗为什么喜欢吃骨头。

• 读过第 4 页，请孩子说说，猫狗养在一起可以吗？请孩子注意绿巨人这个词。告诉孩子，绿巨人是美国一个漫画中的人物，样子很强壮，看起来很凶。让孩子想想，小猫为什么叫这个名字？小猫绿巨人对宾果的态度是什么样的？

• 读过第 12 页后，问问孩子，地图是怎么帮宾果找到埋骨头的地方的？

• 读过这个故事以后，请孩子用描述位置的词语来说说在第 30 页上，宾果在哪里？在第 31 页上，吉尔在哪里？

巩固数学概念

• 在阅读这个故事的时候，请给孩子指出这些与表示位置有关的词语：周围、上面、外面、里面、后面、左边、前面、右边、中间、越过、下面。请孩子造句或者画画来理解故事里的这些位置词语。

• 鼓励孩子一边在书里找出小猫绿巨人，一边用表达位置的词语描述它在哪里。

• 请看第 32 页的内容。找出位置词语中的反义词，比如"左、右"和"上、下"。让孩子说说在数学概念中，还有什么其他反义词，比如"多、少"、"加、减"。

生活中的数学

• 玩藏猫猫的游戏。家长藏起来一件东西，然后用准确的位置词语告诉孩子，请孩子将它找出来。

• 请孩子在家里找一些用品，描述这些物品所在的位置，比如橱柜里、冰箱里、书架上等等。

• 画一些简单的地图，比如卧室、院子、小区的游戏场等。大人和孩子轮流藏起几样东西，然后描述所在位置，在地图上标出，就像故事里吉尔做的那样。

说一说，
吉尔的左手拿的是什么？
右手拿的是什么？

摸摸你的左耳，摸摸你的右耳。
拍拍你的左肩，拍拍你的右肩。
抬抬你的左腿，抬抬你的右腿。

你能用“上、下”这样的词描述绿巨人和宾果的位置吗？

＿＿＿＿＿在＿＿＿＿＿的上面。
＿＿＿＿＿在＿＿＿＿＿的下面。

姨妈在吉尔的前面,妈妈在吉尔的后面。
妈妈在姨妈的(　)面,姨妈在妈妈的(　)面。

自己尝试说一说

妈妈
绿巨人
吉尔
宾果

互动练习4

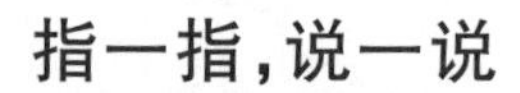

指一指，说一说

1.马克一家住在最上层左数第一家。
2.西塞住在中间一层，右数第二家。
3.露露住在最下面一层，左数第三家。
4.菲比住在最下面一层，右数第三家。

你能帮助宾果顺利地走出迷宫吗?请选择一条路，然后用方位名词描述一下路径。

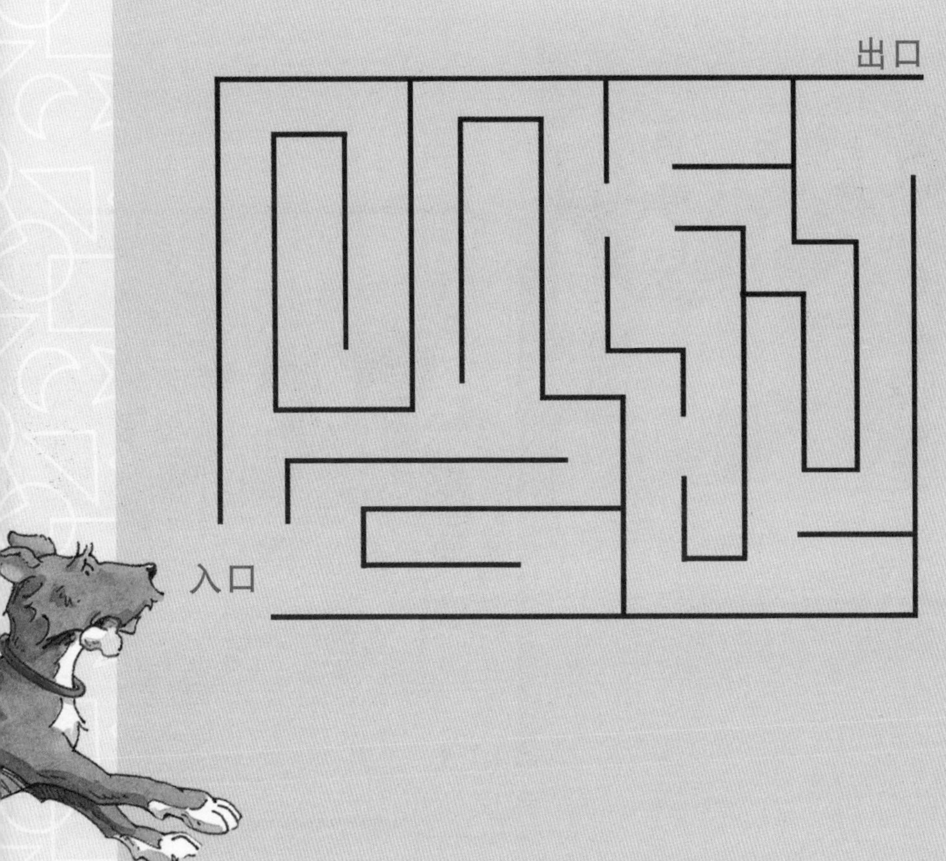

互动练习6

你已经认识了许多方位名词，请你仔细观察下面这两幅图片，说一说它们有哪几处不同。(4 处)

请你以宾果为参照物，分别指出它的上、下、左、右、前、后都在什么位置。

参考答案

互动练习 1：吉尔左手拿的是绳子，右手拿的是骨头。

互动练习 2：绿巨人在宾果的上面，宾果在绿巨人的下面。

互动练习 3：妈妈在姨妈的后面，姨妈在妈妈的前面。

尝试说一说：吉尔在妈妈的前面，妈妈在吉尔的后面；宾果在绿巨人的前面，绿巨人在宾果的后面。

互动练习 4：

互动练习 5：

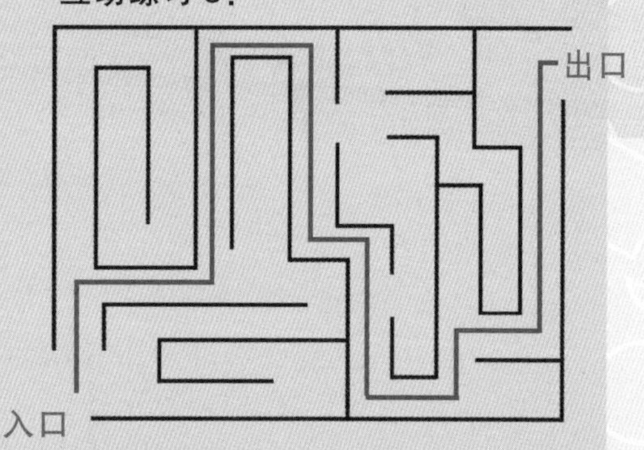

互动练习 6：

互动练习 7：

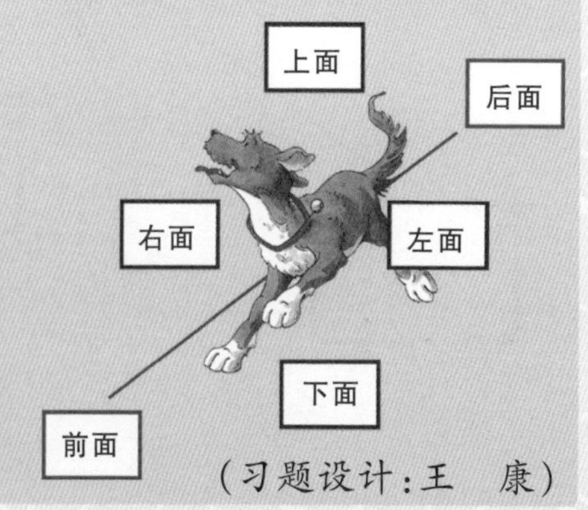

（习题设计：王　康）

WHERE'S THAT BONE?

"Let's go, Bingo!" Jill shouted every morning. Then she and her dog, Bingo, would go for a walk around the block. When they got home, Jill always gave Bingo a bone. Bingo loved bones.

One day Jill's Aunt Sally came to stay for a while. She brought her cat, Hulk.

Bingo was scared of Hulk.

Hulk jumped on Bingo.

He ate his food.

He even grabbed Bingo's toys.

The only good thing about Hulk was that he slept a lot. He took a very long nap every afternoon.

The day after Hulk came, Bingo didn't eat his bone. Instead, he buried it outside in the yard. Jill saw him through the window.

"Why is he doing that?" Jill asked her mother.

"I think he's hiding it from Hulk," she said.

"Don't worry," Jill told Bingo. "Cats don't eat bones." Bingo just sighed

and put his head on his paws.

Later that day Hulk took his afternoon nap. "Dig up your bone now," Jill said."You can eat it while Hulk is inside sleeping."

Bingo dug here and there. But he couldn't remember where he had buried his bone.

The same thing happened the next day. And the day after that. Bingo buried his bones. Then he couldn't find them.

Bingo kept losing all his bones. How could Jill help him?

She thought and thought. At last she had it. She made a big map of her backyard.

The next time Jill and Bingo came back from a walk, Jill climbed up into her treehouse.

"Mom! "she called. "Will you give Bingo a bone?"

"Sure,"her mother called back.

Jill watched Bingo. He carried his bone behind

the bird feeder and looked around.

Finally Bingo buried it in front of the bush with the pink flowers.

Jill marked the place on her map.

The next day, Bingo got another bone. He went around and around the turtle pond. He sniffed the air. Then he circled the apple tree. Bingo buried the bone between the tree and a rock.

Jill made an X on her map to the right of the apple tree.

All at once Jill jumped. Hulk had leaped into the treehouse. Jill knew cats can't read maps, but she covered it up anyway, just in case.

Luckily, at that moment Aunt Sally called, "Hulkie! Time for a treat!"

"Thank goodness," Jill said, as Hulk ran back down the tree.

The next day Bingo dug a hole in front of the porch. He put in his new bone. But when he saw Hulk, he took it out again.

Bingo ran over the bridge to the flower garden. Uh-oh. But it was okay. Only one flower got bent when he buried the bone again.

Bingo carried the next bone all over the yard . Suddenly, he dashed behind the swing. He made a left turn and buried the bone under the tree where Jill was sitting.

Jill showed Bingo her map. She had marked an X for every bone. It would be easy to find them after Hulk and Aunt Sally left. If they ever left.

At last Aunt Sally was ready to go home. "Goodbye," Jill called. Bingo wagged his tail hard.

"Bye," said Aunt Sally.

"Meow," said Hulk.

The next day Jill and Bingo took a nice long walk. When they got home, Bingo wanted a bone. Jill could tell. She took out her map. "Let's go find one," she said.

Yay! Hurray! The bone was right where Jill had put the mark on her map. Right under the tree.

The map worked! Every day they dug up another bone. But the last bone was missing. All they found was an empty hole.

Bingo looked around. Jill knew he thought Hulk had taken it. But she was sure cats didn't eat bones. Or did they?

A week later, Jill got a letter from Aunt Sally. There was a picture of Hulk in it. And guess what he was holding?

Bingo's bone!

"You were right, Bingo," Jill said. "I guess cats do like bones. Do you think they read maps, too?"